Cá bhfuil Ruairí?

Colmán Ó Raghallaigh

Anne Marie Carroll

I gCuimhne

Flann Ó Riain 1929-2008

Bhí tionchar an-mhór ag na cartúin Daithí Lacha, a chruthaigh Flann Ó Riain, orm féin agus ar go leor de pháistí eile na hÉireann sna blianta 1962-1969. Craoladh iad ar Radió Telefís Éireann agus foilsíodh iad i bhfoirm leabhair. Carachtar greannmhar simplí ba ea Daithí a raibh an nath cainte clúiteach `Aililiú!" i gcónaí ar bharr a theanga aige.
Go deimhin féin tá rian de Dhaithí áit éigin ar Ruairí na linne seo, is dóigh liom, agus is mar ómós do Fhlann a scríobhadh an scéal simplí seo, a bhfuil cosúlacht áirithe idir é agus ceann d'eachtraí móra Dhaithí breis agus daichead bliain ó shin!

Bhí Ruairí agus Máirtín ag imirt peile lá.

Tar éis tamaillín rug Ruairí greim ar an liathróid
agus bhuail sé go hard san aer í.
D'imigh sí le gaoth isteach i seanghairdín a bhí
taobh leo agus phreab sí isteach i dtigín guail.

Dhreap Ruairí thar an gclaí agus Máirtín ina dhiaidh.
Isteach le Ruairí sa tigín ar a lorg.
Bhí Máirtín ag féachaint air go grinn.
Phlab sé an doras agus chuir sé an glas air.

Baineadh geit as Ruairí agus thosaigh sé ag screadaíl.
"A Mháirtín, a leibide! Oscail an doras seo.
Oscail an doras, a deirim!"
Ach níor thug Máirtín aon aird air.
D'imigh sé leis agus é ag gáire!

Ar ball beag bhuail Máirtín le Séimí.

"Tá Ruairí caillte," ar seisean.

"Rachaimid ar a lorg," arsa Séimí.

Chonaic siad Sinéad agus Órla ag teacht.

"Tá Ruairí caillte," arsa Séimí leo.

"Rachaimid ar a lorg," arsa na cailíní.

Bhí píobáin á leagan ar an mbóthar.
D'fhéach Máirtín isteach i bpíobán amháin.
"Níl sé anseo," arsa Máirtín.
D'fhéach Séimí isteach i bpíobán eile.
"Níl sé anseo," arsa Séimí.

Faoin am seo bhí Ruairí éalaithe as an tigín guail.
Bhí sé le ceangail!
"Fan go bhfaighfidh mé an diabhal sin, Máirtín!"
ar seisean os ard. "Maróidh mé é!"

Idir an dá linn tháinig tuirse ar Mháirtín agus
bheartaigh sé codladh beag a bheith aige.
Chonaic sé geata ar oscailt agus isteach leis
i ngairdín beag cúil.
Chuaigh sé isteach i seanbhosca agus níorbh fhada
go raibh sé ina chodladh go sámh.

Bhí Órla ag féachaint isteach i seanveain.
"Níl sé anseo," ar sise.
D'fhéach Séimí síos i ndraein. "Níl sé anseo," ar seisean.
Bhí iontas orthu.
"Meas tú cá ndeachaigh sé?" arsa Órla.
Níl a fhios agam beo!" arsa Séimí.

Ar deireadh tháinig Sinéad go dtí an tigín guail.
D'fhéach sí isteach ann.
"Níl sé anseo," ar sise.
D'fhéach Séimí isteach i mbairille.
"Níl sé anseo," ar seisean.

Chonaic Mamaí na páistí taobh amuigh.
"Cá bhfuil Ruairí?" ar sise, "tá a dhinnéar réidh."
"Níl a fhios againn!" ar siadsan. "Tá sé caillte!"
"Caillte?" arsa Mamaí, "Ó bhó go deo!"

Chuaigh Mamaí go dtí an teileafón agus ghlaoigh sí
ar na Gardaí.
"Tá Ruairí caillte!" ar sise. "Tagaigí go beo!"
Níorbh fhada gur tháinig na Gardaí.
Bhí an solas dearg ar lasadh agus an adharc á séideadh.
Bhí slua mór bailithe ag teach Ruairí le dul ag cuardach.

Tamall ina dhiaidh sin bhí Ruairí ag siúl leis nuair
a tháinig sé ar scata daoine.
"Céard atá ar siúl agaibh?" ar seisean.
"Tá buachaill éigin caillte," arsa leaidín beag leis.
"Rachaidh mise ar a lorg freisin," arsa Ruairí.

Chonaic Ruairí an geata ar oscailt agus isteach leis sa ghairdín cúil.
Tháinig sé ar Mháirtín sa bhosca.
"Tá sé faighte agam!" ar seisean de bhéic.

Bhailigh na daoine thart ar Mháirtín.
"Ach ní raibh mise caillte!" arsa Máirtín.
"Ní raibh tú caillte agus sinne ar do lorg!
Nach tú an bligeard?!"
Agus rith an scata ar thóir Mháirtín.

"Ó, a dhiabhail!" arsa Ruairí leis féin
agus as go brách leis abhaile.

Téacs: Colmán Ó Raghallaigh
Léaráidí: Anne Marie Carroll
© Cló Mhaigh Eo 2009

Foilsithe ag Cló Mhaigh Eo,
Clár Chlainne Mhuiris,
Co. Mhaigh Eo,
Éire.
www.leabhar.com
094-9371744

ISBN: 978-1-899922-64-2

Dearadh: raydes@iol.ie
Clóbhuailte in Éirinn ag Clódóirí Lurgan Teo.

Faigheann Cló Mhaigh Eo cabhair ó Bhord na Leabhar Gaeilge.

Buíochas le: Eithne Ní Ghallchobhair

Bord na Leabhar Gaeilge

Foras na Gaeilge